겨울의 속삭임

ModernBooks

겨울의 속삭임

발 행 | 2023년 11월 27일
저 자 | 김혜미, 고옥희, 이진희, 임지혜, 최유빈, 황수비
펴낸이 | 박강산
펴낸곳 | 모던북스
출판사등록 | 2022.10.27.(제2022-144호)
주 소 | 서울특별시 동작구 현충로 220
연락처 | 010-4412-4309

ISBN | 979-11-93445-05-1

https://modernbooks.co.kr

Modernbooks

들어가며

　「겨울의 속삭임」에는 모던북스의 <작가가 되는 시간>을 통해 발굴한 여섯 명의 신인 시인들의 작품이 수록되어 있습니다.

　가족애, 상실과 결핍, 평범한 일상 속에서 마주하는 색다른 삶의 가치를 조명하는 시편들로 이루어져 있습니다. 12월 겨울의 전경이 펼쳐지는 가운데, 재능 있는 시인들이 창작한 다각적인 아름다움이 문장으로써 이곳에 남았습니다.

　매 순간 변화하는 현대시의 풍경 속에서, 저마다 독특한 관점과 예술적 재능을 지닌 신선한 목소리들이 들립니다. 작가 고유의 사유를 이미지화하여 독자들을 매료시키는 63편의 시를 탐독하는 시간을 가져보세요.

차 례

겨울의 속삭임

김
혜
미

시를 쓰면서 자신을 못살게 굴었습니다. 시로 남기고 싶은 일이 있는지, 요즘 관심 있는 일은 무엇인지, 어떤 마음으로 살고 있는지 등 스스로 끊임없이 묻고 끈질기게 답을 내는 시간을 가졌습니다. 내가 어떤 사람인지 파헤치는 일은 피곤지만, 개운해서 좋았습니다.

결과로 나온 시가 아쉽고 부족하지만, 발간된 책을 보면 과정이 즐거웠던 시간이 떠 올라 흐뭇할 것 같습니다.

어떻게

시끄러운데 버틸 만하다
조용한데 못 견디겠다
비좁은데 살만하고
널널하니 불안하다

어떻게 살고 싶은 걸까

그 사이 어디

쉴 수 있냐는 물음에

버텨야 한다고
머뭇거리면 늦어진다고
현실을 보라는 이야기가 쏟아졌다

잠시 놓아주는 건 나쁜 건가
고민할 시간은 없는 건가
둘러볼 여유는 없는 걸까

작은 바늘과 긴 바늘이 합쳐지면
오늘은 어제가
내일은 오늘이 된다

내일의 오늘을 사는 너에게 물어봐야겠다

너 지금 어디서 뭐 하고 있냐고

나와 같기를 (남)

내 걸음보다 조금 뒤에서
그녀는 낙엽을 밟으며 바스락 소리를 내며 걷고 있다

내 걸음이 빠른 걸까
내가 불편한 걸까
내가 마음에 들지 않는 걸까

고개를 살짝 돌려 뒤를 보니
눈을 찡그리고 있다

그녀 머리 위로 슬쩍
쨍한 태양을 가렸다
고개를 내려 바라보게 됐다

눈이 마주치자
눈을 피했다

가던 길을 멈추자
그녀도 걸음을 멈추었다

머뭇거리며 떨리는 손을 건넸다
잠시 뒤 차가운 손이 포개졌다

드디어 나란히
이제는 같이
조금 더 걸어볼까

나와 같기를 (여)

그가 가는 길 놓치지 않게
뒤따라 종종 가고 있다

햇살은 따갑고
등은 축축하고
운동화에 치마가 걸린다

조금만 천천히 걸어가지
내가 마음에 들지 않는 걸까

머리 위로 그늘이 살짝 생겨
고개를 들자 눈이 마주쳤다

가던 길을 멈추자
그와 나 사이에 바람이 살짝

머뭇거리는 뜨거운 손이 건너왔다
설레며 손을 내밀었다

드디어 나란히
이제는 같이

조금 더 걸어볼까

가을비

적색 주황 노랑 연두색 잎이
먹색 흙색 바닥에 툭

연못으로 떨어진 떼를 지어
다니는 잎들을 구경한다

물에 비친 구름이 궁금해 하늘을 보니
회색이다

가게 창가에 내 모습이 비친다
풍경도 나도 돌아가기 아까운데

툭
고민을 덜어주는 소리가 시작된다

빛

하나 둘 셋 넷
꼬불꼬불 골목에 가로등 네 개

가로등이 멀어지고 어둠이 가까워지면
멀리 보이던 집이 눈앞에 보이기 시작한다

아파트 빌라 단독 주택에서 나오는 빛을 의지해
걸어간다

가로등이 하나만 더 있다면
좋았을 텐데

아,
휴대폰을 꺼내 손전등 버튼을 누른다

이제 됐다
무섭지 않다

계절을 닮은 사람

어떤 것이든 할 수 있다는 기대에 부푸는 봄
낮이 길어 하루를 축제 같이 보낼 수 있는 여름
따스함이 감싸주는 분위기 있는 가을
무서운 긴 밤을 여러 색의 조명이 밝혀주는 겨울

나는 겨울을 가장 좋아한다

어둠이 하루의 반 이상을 차지해 무서울 수 있지만
하얀 눈 한 번에 환한 얼었던 표정은 미소로 바뀌고
사람들은 창문에 매달리거나
밖으로 나와 겨울을 즐긴다

다른 계절에는 크게 눈에 띄지 않던
호떡, 붕어빵 같은 군것질을 지나칠 수 없어
2,000원의 행복을 들고
집에서 차와 같이 먹으면
이거 한 번 하려고 오늘 힘들었나 보다 싶다

추운 날씨를 핑계 삼아 약속을 취소하고
남들에겐 별것 아닌 나만의 취미를 하거나
인터넷을 뒤적거리다 알게 된 정보에 심취하거나

아무것도 없이 하루를 보내도 후회하진 않는다

가을비가 몇 시간 째 내리고 있다
뉴스에서는 모레 아침 반짝 추위가 오고
다음 주에는 초겨울이 시작될 예정이지만 날씨가 변덕스러우니
옷을 잘 챙겨입으라 조언해 준다

겨울이 다 왔다
올겨울은 어떻게 보내게 될까

미술관 전시

그리는 재주가 없어
남의 그림을 보러 다니기 시작했다

처음에는
몇 층이나 되는 곳을 보는데도 얼마 걸리지 않았다

1년, 2년, 3년...
시간의 흐름에 안목이 비례했는지
이제는 몇 점 안 되는 그림을 보는 데도 오랜 시간을 할애하게
됐다

여전히 어렵지만
이제는 전시 공간의 분위기를 살필 수 있고

작가의 의도를 파악하기 힘들지만
있는 그대로 받아들이는 것을 할 수 있게 됐다

나는 느리지만 성장하고 있다

잠

정신이 몽롱한데 흥겹다
눈꺼풀이 닫힐 때마다 카페인을 섭취한다

몸이 무겁게 느껴지고
어깨가 안으로 말린다
목이 뻐근해 자주 고개를 들어 천장을 본다

달고 맵고 짠 주전부리도 이제는 통하지 않는다
친구에게 선물로 받은 매운 치약으로 양치를 한다

흥겨운 노래를 틀고
잠시 자리에서 일어나 어깨를 돌린다

제발 하루만 더

말도 안 되는 전생 이야기

전생에 대해 생각할 때가 있는데

책을 사기만 하고 쌓아두고 읽지 않을 때는
학문에 뜻이 있는 학자였으나 뜻을 이루지 못해 책을 수집하나
싶고

반짝이는 귀중품이 쌓일 때면
졸부였는데 전쟁으로 재산을 잃은 한이 있나 싶고

똑같은 물건이 몇 개씩 있는 걸 볼 때면
거지로 살아 풍족한 생활을 못 했나 싶고

방이 지저분하지 않게 물건들이 잘 숨겨져 있는 걸 보면
도적이었나 싶기도 한데

그럼 몇 번을 인간으로 다시 태어난 건지
여러 번 살았으니 대충 살아볼까 싶기도 하다

입꼬리가 살짝 올라가고
눈이 작아지면서 반달이 되면

현실로 돌아온 거다

고
옥
희

시와 함께 지난 시간을 회상하게 되었습니다. 가장 나다움을 표현했고 차마 하지 못한 말을 시를 통해 뱉어 내었을 때 느꼈던 그 감정을 소중히 간직하고 싶습니다.

세월이 갈수록 나의 모습은 어떤 모습으로 늙어가는지 놓치고 살았던 건 무엇인지를 시를 통해 깨달았습니다. 천천히 가면 볼 수 있는 보물들이 많은 거 같습니다. 빨리빨리 세상에서 조금만 느린 세상을 살아갔으면 합니다.

엄마의 텃밭

추수 때가 되면
동틀무렵부터
엄마의 손은
하루종일 쉴 틈이 없다

알이 꽉 찬 배추는
갖가지 양념으로 맛깔스런
김치가 될 것이고
무우는 길쭉하게 쭉 뻗은
다리처럼 잘자라
아삭한 깍뚜기가 될 것이다

겨울나는
시금치는 겨울 내내
얼었다 녹았다를 반복할 준비를 하고있다

예쁜 주황 색깔을 뽐내고 있는 단감은
가지에 주렁주렁 메달려 있는 모습이 탐스럽다

고구마를 캐다
잠시 밭두렁에 앉아서

고랑을 센다
이제 몇 고랑 남았나?
엄마의 한숨 소리가 깊어진다
추운 겨울 군고구마 먹을 생각에
다시 호미질을 한다
아랫목 구들장에 온 가족이 모여
군고구마를 먹던 시절이 그리워진다

쭈글쭈글 깊게 패인 엄마의 얼굴엔
주름이 선명하게 보인다
손가락 마디가 굽어진 엄마손
이젠 농삿일 그만하시고
남은 여생 편하게 쉬었음 좋겠다

나의 마지막 가는 길에

사랑했던 사람들이
영정 사진 속 나를 보고 있다
헤어짐이 안타까워 서럽게 울고 있다
나의 동갑내기
단짝 친구 내 남편이
얼굴이 뻘겋게 닳아 오르도록 울고있다
당신 어깨가 너무 쓸쓸해보여
흰 장갑 낀 손으로 눈물을 훔쳐낸다
여보!!
우린 친구라서 너무 편했다 그치?

큰 아들 영이는 주저앉은 채로
영정사진 속 나를 보고있다
고개 숙여 울고 있다
차마 하고 싶은 말을 못한 듯
입술을 깨물고 있다
큰 아이야 너무 미안해 하지 말아라

딸 정이는 울 힘도 없이 지쳐 보인다
검정색 치마를 칭칭 두르고
끈으로 허리를 조여메고 초췌한 모습으로

지팡이에 의지하고 있다
안쓰러워 보여서 안아주고 싶다
딸 아이야 엄마도 너를 사랑한다

아직 어린 막내아들 건이는
아빠를 부둥켜 안고 투정 부리는 듯이 울고있다
부들 떨면서 목놓아 엄마를 부르고있다
막내야 막둥이랑 오랜 시간 함께 하지 못해 미안해

이제 안녕

한 사람씩 모두 눈물을 닦아주고 싶은데
나는 멈추고 말았다
눈을 뜰 수가 없다
이제 안녕
서서히
잠이 온다

순두부

몽글몽글 하얀 순두부는
고소한 맛이 일품이다
어릴 적 시골에서 할머니가
끓여주신 순두부가 생각난다
그 맛을 기억 나는데로
흉내를 내보기로 했다

불린콩을 맷돌에 갈고
가마솥에서 100'c 가량 되는 온도에
주걱으로 휘휘 저어가며 끓인다
시간이 다
되어갈수록 고소한 향이 진동을 한다
그때가 콩물이 제일 맛있게 끓여지는 지점이다

간수 빠진 소금과 해양 심층수만으로
순수두부를 만든다
몽글몽글한
순두부를 입안에 넣는 순간
고소한 맛과 부드러움이 입에서
스르르 녹는다

목으로 들어가는 순간
건강해지는 기분이다

우리들은 각자 고향의 맛이있다
그리운 고향의 향수를 찾는 사람들을 위해
오늘도
순두부를 고소하게 끓이고 있다

오늘도 나는 너에게 가고 있어

오늘도 나는 너에게 가고 있어
골목길을 지나 두 번째 집 나무색 대문집
집앞 불이 꺼져있는 가로등 밑에서 걸음을 멈추었어
이곳은 너의 집 앞이야
갑자기 심장이 두근두근해지는 순간
심장소리가 조용한 골목길에
울리는 것처럼 느껴져
그런데….
이층 너의 방은 불이 꺼져있어
너는 언제쯤 오니?
집앞 차가운 전봇대에서 등을 기대고 서있는데
길고양이가 다가와 내 발주변을 맴돌고 있어
삼색 고양이는 먹이를 찾아 왔으리라
애타게 너를 기다리는 나의 마음을 알까?
줄 먹이가 없는데 꼬리를 흔들며 주변을 맴돌기만해
너도 누구를 찾아왔니?

오늘도 나는 너에게 가고 있어
그 사이 꺼져있던 가로등 등은 골목을 환하게 비추고 있어
기대와는 다르게 오늘도 너의 방은 불이꺼져 있어
조용한 골목이 더 쓸쓸해보여

내 그림자만이 골목을 지키고 있어

이렇게 후회 할 꺼면서

나는 왜 너에게서 도망쳤을까?

어느 날 아무 말없이

사라진 나를

너도 하염없이

기다리고 있었겠지?

이 골목길로 들어오는 너를

보았다면 난 아마

숨어서 너를 보고만 있었을 꺼야

보고싶은데

너무 보고싶어서

가슴이 아파

너는 지금 어디있니?

내가 지금 여기있는데

서른에 한 첫사랑

이렇게 아름다운 사랑을
나는…, 서른에 할 줄 몰랐다
나를 사랑할 줄 몰랐기에
다른 사람을 사랑하게 될 것이라고
상상도 못한 일이었다

너는 나를 사랑한다고 말할때마다
나는…, 너에게 점점 스며들고있다
하얀피부에 반달눈이 매력적인 너는
나만 보면 그냥 웃기만한다
왜 자꾸 웃고만 있느냐고 물어보면
너는…, 말이 없다

카페 한 켠 하얀색 실루엣이 쳐져있는
벨벳 쇼파에 우리는 앉아 있다
커피맛이 쓴 맛인지,단 맛인지,신 맛이 나는지
관심이 없다
카페 음악이 어떤 장르가 흘러 나오는지
나는…, 지금 너만 신경 쓰인다
아무것도 보이지 않는다
너는 내 손을 놓치 않고 있다

너의 손이 너무 따뜻해서 잊을 수가 없다
우리는 서로
사랑밖에 모르는 연인이다

유　혹

커피 콩 볶는 향에
심취해 있다
그 매력적인
커피가 자꾸
나를 유혹한다
안 되는데 하면서
내 의지와는 상관없이
나는
자꾸
자꾸만
유혹에
빠져들고 있다
코를 자극하고
입이 즐거워지고
각성 상태가 되어
긴장감이 돈다
그 어떤 것도
커피를 대체할 수 없는
유혹에
점점
빠져들고 있다

어린 엄마

어린 엄마는 스무 두 살에
첫 번째
갓 태어난 아이와 만났다
그리고
갓난아이와 엄마는 같이 성장하고 있다

배고파 울 때도
응가를 해서 울 때도
아파서 울 때도
어린 엄마는 같이 울었다

두 번째
태어난 아이를
품에 안았을 때
어린 엄마는 다짐했다
이젠 조금만 울어야지

둘째 아이가
배고파서 울 때
큰아이도 같이 운다
아파서 울 때도

큰아이도 같이 운다
어린 엄마는
다시 미성숙한 엄마가 되어
두 아이와 같이 운다

셋째 아이가
힘차게 울음을 터트리며
세상에 빛을 보았다
이제 성숙한 엄마가 되어
아이를 자신있게 품에 안았다
더 이상 아이와 울진 않는다
먼 훗날
세월이 흘러
아이들은 어느새 성인이 되었고
엄마는 이제 아이로 돌아갈 나이가 되었다

윤슬 앞에서

잔잔한 물결이 조용히 출렁인다
보름달은 눈부시도록 빛나고 있다
저 멀리 지평선에서부터
나의 발끝까지
달빛의
아름다움이
황금빛이 되어
바다에서
길을 만들어 놓았다
걸어서 가다보면 끝이 있을까?

윤슬 앞에서
시계바늘의
시간이 잠시 동안 멈추었다
지금 이 순간
우주에서
자연이 주는
보물을 맘껏 누리고 있다

가을이 나에게

가을이 나에게
오라고 손짓을 한다
나무는 나와 함께
수채화를 그리자고 한다
노란색으로
은행나무를 그리고
빨간색으로 단풍나무를 그렸더니
가을은
내가 그린 수채화를
나무에 수분이 없어질때까지
고이 간직하고 있다가
하나씩, 하나씩
땅으로 돌려 보내주고 있다

탄광촌 아버지

탄광촌으로 향하는 비행기 안에서
아버지는 무슨 생각을 하셨나요?
눈물이 마르치 않고 계속 흘렀겠지요
부모님 생각
아내와 자식생각
어린 동생들이 생각났을테지
아버지의 삶은 뒤로한 채
꿈을 포기한 채로

맏이의 어깨의 무거운 짐이
마치 비행기 무게만큼이나
느껴지셨을 거라 생각합니다

오랜 세월 동안
시커먼 동굴 안에서
하루종일 석탄 캐고
까만 먼지 마시면서
오로지 가족 생각으로
버티는 삶을 사셨을 테지요
석탄가루 범벅이 된 얼굴을

생각하면 가슴이 미어집니다
어릴 때는 아버지의 삶이
들여다 보이지 않았습니다
나이가 들어가고
자식을 키우니 어느샌가
탄광촌 아버지의
모습이 자꾸 생각납니다
오직 부모, 자식, 형제들을 위해
타국에서 홀로 외로움을
참아가며 가족이 있는 이국으로
돌아오고 싶은 마음을
이 악물고 참고
살았으리라 짐작합니다
그 몸 하나로 어찌 그리 버티고
사셨는지요
저의 두 뺨에
눈물이 자꾸만 흐르고 있습니다
감사하고 존경스럽습니다
그리고
나의
아버지로 오랫동안 곁에 있어주세요
사랑합니다

새벽 3시 30분

비바람 소리
창문 흔들리는 소리
길가에 쓰레기더미 굴러다니는 소리
차바퀴 물튀는 소리
귓가에 들리는 온갖 소음들
이리저리 뒤척이다
눈을 떴다
지금 시간
새벽 3시30분
인적이 드문 곳
집 한 켠에서
나는 지금
바깥 소리에 귀 기울이고 있다
빗줄기가 창문을 마구마구 두드리고 있다
이 가을에 찾아온
몹시 거센 태풍 같다

창문밖 비구름 가득한
하늘을 보며
숨을 크게 내 쉬며
혼잣말을 하고 있다

너무 애쓰지말고 살아라
힘들면 잠시 쉬었다 가면 되지
내 마음의 소리가
심금을 울린다

이제 더이상 바깥소음이 들리지 않는다
마음의 문을 두드리는 소리에
귀를 기울인다

가을사랑에 빠지다

가을과 사랑에 빠졌다
맑고 깨끗한 청명한 하늘을
사랑하지 않을수없다
봄, 여름, 겨울이
질투를 한다
삐졌는지
봄은 짧게 끝나 아쉽게 만들고
여름이 투정부려서 길고 긴 열을 뿜어내나보다
겨울은 너무 추워 움츠리게 만든다
사랑하지 못할정도로 매섭고 차가운 바람이 분다

그래도 가을을
사랑하지 않을 수 없다
너무 좋으니까
그냥 좋으니까

이
진
희

　퇴근 전 조금은 짧아진 해가 노란빛으로 뉘엿뉘엿 지고 있는 지금, 노트북을 꺼내 마음속의 글자들을 입력해봅니다. 아직 할 일은 남아있고 주변은 조금 소란스럽지만, 이전에 가장 중요하다고 생각한 것들을 이제는 조금 미뤄도 괜찮다는 생각이 듭니다.

　글을 쓰면서 내가 살아온 시간을 돌아보고 끊임없이 자신에게 질문합니다. 한 글자, 한 글자 적어가며 지난 마음들을 챙겨봅니다. 그때는 몰랐지만 돌이켜보면 모두 전부였던 마음입니다. 괴로운 마음, 그리운 마음, 사랑하는 마음, 잊고 싶지 않은 마음 등 시에 풀어낸 제 마음의 이야기가 누군가에게도 위로가 되길 바랍니다. 모두가 품은 마음들 하나하나가 그냥 지나칠 수 없이 소중하다고 느낍니다. 오늘도 글로 나 자신과 타인을 이해하며 한 걸음 더 성장합니다.

　감사합니다.

공중수영

지루한 장마가 며칠째 이어지는 축축한 여름밤
수영이 하고 싶다고 말하는 나에게
어쩜 수영하기 딱 좋은 날이네, 라며 답하던 너

내 손을 끌고 자취방 밖으로 나가
빗속으로 퐁당 빠트렸지
수영복 대신 우의를 걸치고

후
두
둑

따가운 빗줄기 사이에 펼친 날갯짓
빗속에서 수영하듯 팔을 휘젓는 나에게
저 끝 없는 골목 레인이 전부 너를 위한 수영장이야, 라며 말하
는 너

공중에 떠다니는 빗방울이 모이는
깜빡이는 가로등만이 지켜보는 불빛 아래
목덜미에 붙은 젖은 머리카락을 떼어주던 영원의 찰나

커피믹스로 염장을 하고

미지근한 생수병을 한 모금
마시고 낸 공간에
커피믹스를 넣어 흔든다.

하나 두울 셋

오늘 같은 동태눈깔엔
쩌 들고 고인 비린내엔
세 개는 넣어야지.
바알간 눈을 부릅뜬다.

사무실에 가라앉아
죽음일지 구원일지 모를 낚싯줄을 기다리는
모조리 같은 종의 붕어들이 뻐끔거린다.
다를 바 없는 윗붕어가 아랫붕어를 나무란다.

뻐끔
뻐끔
뻐어끔

커피믹스로 염장한 나를 제발

도막 내줘. 이끼가 가득 낀 비늘을 걷어내고
누구의 것인지 모를 다른 토막들과 섞어
고춧가루 넣은 칼칼한 국물에 뒤엉켜
그 입속으로 사라지게 해줘.

뻐끔
뻐끔
뻐어끔

붕어의 발악은 공기 방울이 되어 사라진다.

이제는 아니다

9,900원짜리 와인으로 한 모금
술은 목으로 향은 코로 되새겨
반지하 방이 붉게 젖어 들면
아버지의 젊은 일대기가 흘러나온다.

나팔바지를 입은 전설의 디스크자키
사우디아라비아의 모래 위 외국인노동자
호기로운 패기만으로 실패한 사업가
작살 하나로 바다를 누비던 아쿠아맨

그 모두가 아버지이지만 아버지가 아니다.

휘몰아치는 태평양에 이름 없는 소용돌이도
언젠가 솟아날 때 있으리라 부르짖던
어린 자녀의 귓속에만 자리 잡은 독백
가난한 지유에도 쓸쓸하지 않다던

그 모든 말이 아버지였지만 이제는 아니다.

프랑시스 그뤼베

욥 1944

캔버스에 유채

한쪽 벽면 가득 찬 캔버스 안
파리의 회색빛 건물
울타리 앞에 놓인 나무 의자
한 남자가 홀로 앉아 있다.

간신히 꾹 눌러 참고 있는 눈동자
사방으로 튀어나오는 좌절을 틀어막는 한 손
고통이란 그림자 외엔 더 잃을 것이 없는 남자
그 옆에 떨어져 있는 편지 한 장

순간 잿빛 물감이 덮쳐와 꼼짝할 수 없다.
바닥에 붙은 발이 얼어 몸을 떨고 있을 때
너는 아무 말 없이 뒤에서 내 손을 잡아 준다.
잠식되는 나의 그림자를 비춰주는 너의 따듯한 색

비로소 난 발을 뗀다.
저 남자의 뒤편, 프레임 밖에도
누군가가 서 있었기를 바라며.

여백에 허물을 벗어낸다

어질러진 몸속처럼
내 방도 어지러워진다.
옷가지 하나 주울 힘 없이
방바닥 남은 여백에 허물을 벗어낸다.

허물하나에 당신의 말에 대꾸하지 못한 나를
허물하나에 우러러만 보는 하찮은 마음을 벗겨낸다.
벗겨진 허물은 주저앉는다.

침대 밑으로 발을 내딛는 것이
번지점프를 하기 전
내딛는 발걸음처럼
까마득해 숨이 찬다.

피부를 찢어내며
소리 없는 비명을 지른다.
내 모든 것을 온전히 부서뜨린다.
손끝 하나 움직이지 못하고
바다 밑으로 가라앉는다.

허물 하나에 반복되는 일상에 눌어붙은 나를

허물 하나에 변하지 못하고 좌절해 구겨진 마음을
벗겨낸다. 고스란히 벗겨진 허물은
어제와 오늘과 다시 오지 않을지 모르는 내일의 나이다.

더 이상 벗어놓을 남은 여백이 없어지고 나면
텅 빈 허물, 찢어진 피부에
단단하고 날카로운 새 시대가 돋아나기를

사분의 삼박자

너를 공들여 재운다.
스스로 내게 맡기고 풀리는 힘만큼
묵직해지는 너는 내 품에서 녹아내린다.
어제보다 몇 줌 더 자랐을까 가늠해본다.
작은 몸, 그 안에서 깨어 나오기 위해 너는
계속해서 꿈틀거린다.

아기 새의 따끈한 숨소리
터질 듯 수줍게 부푼 볼
강아지풀처럼 돋아난 머리털
열 손가락 하나하나에 열 손톱이 모두
몽글몽글 맺혀있다.

무엇이 그리 너를 노곤하게 했는지
세상 어지러운 줄 모르고 잠든 너를 볼 때면
지구 반대편 시멘트 바닥에 기대어
어미 품 모르고 잠든 아이들이 떠올라
시큰거린다.

그 아이들의 숨소리도 다를 바 어디 있겠냐마는
너만은 아무 생채기 없이 파릇하게 자라나기를

너와 나만으로 가득 찬 이 세상에서
사분의 삼박자, 네 둥실한 허리에 손을 두르고
너를 재운다.

보이지 않는 먼지를 닦는다

굳이 굳이 닦으면 또 쌓일 먼지를 닦아낸다.
주위를 둘러보아 다시금 보살필 것을 찾아본다.
장 사이사이 먼지를 닦는다.
창틀 사이사이 보이지 않는 먼지를 닦아낸다.

굳이 굳이 허리를 굽혀내어 물을 준다.
흙을 솎아내 담아 주고 이파리를 골라낸다.
화분에 맞지 않게 더 자란 것들은
조심스레 뿌리를 걷어내어 큰 화분에 옮겨준다.

둥글고 단단한 씨앗을 뚫고 나온 작은 새싹이 다칠까
주변에 물을 뿌리며 잘 자라라는 말을 덧붙인다.

어린아이들 웃음소리에 창밖을 내다보며 어머니는 한숨을 내쉰
다.

잘 지내

잘
잘지
잘지내
잘지내?

잘 지내냐는 진부한
안부를 너에게 보낸다.
하루를 꼬박 망설이고
오후 세 시, 전송 버튼을 누른다.

너의 답을 기다리며
내가 원하는 것이
그렇다는 답인지
그렇지 않다는 답인지 고민해본다.

잘 지내냐고 예의상
되물을 너의 질문에
그렇다는 답을 할지
그렇지 못하다는 답을 할지 고민해본다.

아직 1이 지워지지 않은 너의 답을 기다려본다.

나는잘지내
나는잘지
나는잘
나는
나

나의 답을 썼다가 지웠다가 다시 지운다.

보푸리

엄마의 니트에
보풀이 일어난다.
손으로 하나둘 뜯어내다가
면도날로 벗겨낸다.
벗겨낸 회색 보풀이 손안에 한가득하다.
모아 모아 돌돌 뭉쳐 낸다.
엄마가 방바닥 머리카락을 모아 모아 뭉쳐 내듯
보풀을 한데 모아 모아 뭉쳐 낸다.
계속 이렇게 벗겨내다 보면 니트가 사라져버릴지도 모르겠어.
빠져도 다시 나는 머리털처럼
니트도 떨어져 나간 보풀만큼 다시 자라나면 좋지 않을까.
보풀 한 줌만큼 사라진 니트가 아까워
보풀을 버리지 못하고 니트 위에서 돌리기만 한다.
뭉치고 뭉쳐져 단단해진 보풀이 내게 말을 건다.
나는 보푸리일 뿐이라고.
그런 보푸리의 말을 나는 끝내 외면한다.

올림픽공원을 달리다 보면

올림픽공원을 달리다 보면
입천장 어디쯤 붙여놓은 옛 연인이 목으로 넘어간다.
5킬로쯤 달리다 보면
왼쪽 옆구리쯤 넣어둔 오래전 친구가 쿡쿡 쑤신다.
12킬로쯤 달리다 보면
두 눈 안에 담아둔 아빠를 지나친다.

몇 킬로 남았는지도 모르고 계속해서 달리다 보면
발밑에 밟히는 낙엽이 같이 가자 소리를 내지만
귓가에 울리는 박동 소리로 모른척해 본다.
언덕을 내려갈 땐 뜨거운 바람이
언덕을 올라갈 땐 차가운 바람이 뒤섞여
내 몸을 휘감고 지나간다.

온몸에 차오르는 신음을 땀방울에 모조리 쏟아내버린다.

임
지
혜

 글을 쓸 때면 저만의 세계에 빠져, 제철맞은 과일마냥 달큰하게 심장이 뛰곤 합니다. 제 글을 보여준다는 것이 제 세상을 보여주는 것만 같아 쑥스러울 때도 있습니다. 하지만 어느날 쓰여진 글이, 마음이, 소문이, 사랑이, 전부 사라지지 않고 독자들에게 닿았으면 좋겠습니다. 바쁜 시간 내주셔서 읽어주신 모든 분들께 감사인사 드립니다.

잃어버린 꽃잎들의 장례식

사회과학대 학생회관 건물 뒤편 과방에서 나온 쓰레기를 한데 모아 소각장으로 옮기는 공간, 그 곳에 쭈그려 앉아 금방 내놓은 꽉 찬 검은색 봉투를 바라보며 그 안에 든 것들은 모두 어디로 갈까 중얼거리다 다시 건물안으로 들어갔다 캠퍼스에 울리는 최신 가요가 복도까지 따라왔고 매립지가 부족할 정도로 넘쳐나는 쓰레기는 산을 이룰 정도로 문제라던데 그럼 그것들은 우주 밖으로 내보내면 되지 않나 우주는 무한하니까 어딘가 미지의 세계로 빨려 들어가 소멸하지 않을까 이미 우주를 향해 쏘아올린 후 수명을 다한 물건의 파편이 떠돌아 다닌다는 것은 나만 모를 이야기였다 궤도를 따라 빠르게 움직이는 잔해들이 인공위성이나 우주선과 부딪칠 뻔한 비상사태 그런 인공물질을 무분별하게 여행 보낸…… 우주 쓰레기는 무슨, 이 쓰레기 같은 학교

지구 온 나나

내 이름은 난아, 이지만 언니는 나나, 라고 불렀다
나나, 라고 쓰면 자신의 이름을 되새기는 것 같다고
담배를 피우면 다 언니냐고 시큼하게 웃던 사람이었다
언니는 시를 썼고 나도 언니를 위해 시를 쓰고 싶었고
노란빛으로 생기를 띄는 얼굴로 꽃을 선물했지만
너너, 라고 부른다면 멀어질 것 같다던 언니는
난아, 라는 단어를 잊어버린 듯 잃어버렸고
나도 언니를 잃어버렸고 우리는 얼굴을 잃어버렸고
손을 서로에게 선물하고 무릎을 붙잡았다
언니가 떠난 지구에 나 홀로 웅크리고 숨어있는 기분이란
빛의 입자는 빠르게 지구를 침략하고
냉기는 소리를 지르며 퇴출되지만 아무도 봐주지 않고
이제 국화 향 담배를 태워도 영원히 언니가 될 수 없는
나나

종교의 새벽

예수님인지 하나님인지 알라신인지 부처신인지 누군지 모르겠지만 그들을 모신다는 공간에 사람들이 돈을 내며 다니잖아 내 주머니에 쑤셔 넣기도 바쁜 돈을 왜 보이지도 않는 것에 받칠까…… 하고 늘 궁금했거든 근데 누가 그러더라 믿음을 주면 영생을 얻을 수 있대 여기서 영생이라는 게 육신이 아니라 영혼이 천국에 가서 잘 사는 거래 돈 주면 천국 가고 안 주면 지옥 가게 된대 천국에서는 영원한 고통과 속죄에서 벗어나 그저 안락을 누리면서 살 수 있대

그러니까…… 나 역시 구원을 사는 사람

생의 끝인지 시작인지 푸른빛과 어둠을 구별할 수 없는 시간 타인의 영화를 듣고 시나리오를 뱉고 노래를 버리고 짙은 녹색인 청춘을 삼키며 미래의 죽음을 미리 당겨오지 내가 살던 땅은 공중전화를 사용하려 줄을 서는 곳 이런 도시는 용이 나지 않는 개천과 다름없었지 나는 용이 되기 위해 개천을 파는 사람 그걸로 내가 구원받을 수 있을까 줄 순 없는 거니

구원된 사람이 있긴 한 거니

루즈 피플

나에게 허락된 자리는
갈색 가죽으로 뒤덮인 의자
바퀴 달린 네 다리가 쭉 뻗어있고
손톱 길이만큼의 스크래치가 무성하고
다가만 가도 비린 쇠 냄새가 진동하는 의자

사람의 본능은 같은 심장을 달고
다른 모습을 한 채 이어진다던데
오랫동안 내 인생은 내 손에 남아 있질 않아
오물 비슷한 마음을 도륙하며 피칠갑 하는 일

피를 쏟는 방향은 이쪽이며
꼬박꼬박 헌납하는 세계는
오로지 은하수 너머 암흑의 공간

유일하게 받아먹는 이는 그곳에 살고
빈대는 지폐를 갉아먹고
봉투에 담겨 소각되고 싶은 소원은 소각되고

다시 의자에 누운 듯 기대보고
삶은 여전히 나의 편이 아니고

나는 삶의 편이 아니고

우리는 척을 진 것처럼 서로를 노려보지만

누구도 이기지 못한 시간

새우

새우는 어항의 세계만큼 제 삶을 고요히 받아들였다
어항 속 물결을 따라 새우 한 마리가 흘렀다
헤엄칠 줄 알면서 움직여 본 적 없는 날이었다
새우의 수면은 잦았지만 숨결이 그친 적은 없었다
반쯤 깎인 시야는 일정한 박자로 떴다 감았고
제 몸 아래서부터 올라오는 희망은 기꺼이 삼켜냈다 뱉었다
누군가 세 개까지만 세어보다 멈춘 다리가 호흡했다
둘째 더듬이보다 짧은 가슴 쪽 다리가 각각 꼼지락 거릴 때마다
그 끝에 제 눈과 똑 닮은 크기의 물방울이 맺히다가 증발했다
거대한 물속에서 물이 사라지는 장면을 새우는 바라보았다
이를테면 형광색 기포가 천천히 작아져 사라지는 순간이나
그것조차 눈치 채지 못할 속도로 터지는 모습을
새우는 오랫동안 멍하니 바라보았다

팔월 여관

와룡산으로 이어지는 길목 옆의 한 여관으로
장미의 장마가 몰아친다는 소식이 도착했다

여관의 이름은 일 년마다 하나씩 도망치고
이제는 이응과 관만 남아있다
그곳은 이응이 묻혀있는 관이었을까

빗물은 언제나 허기진 채로
가시를 잡아먹고 줄기를 씹어먹고 잎을 빨아먹었다
소화되어야 나오는 잔여물과 소화되지 못한 잔여물은
이윽고 여관에 배출되었다

이응은 곤히 호흡을 멈추고 장마가 휘두르는 소리를 들었다
여관은 비단 이응만의 관은 아닐지 몰랐다
구십 년부터 함께 했던
에이스 침대
앤티크 옷장
효율 저하 냉장고
패브릭 소파

하지만 그 모두가 이응이라면

이미 온전히 젖어든 패브릭 소파 위로 장미가 후드득 떨어졌다
오랜 답을 듣는 듯 소파는 모두를 받아먹었다

종일 내리는 속도가 줄어들어
어느덧 이응의 모양으로 사그라들 때까지
여관은 장미를 품는 것을 멈추지 않았다

사각 사각의 방

네 선의 길이가 일치하고
네 면의 크기가 일 센치의 오차 없는
아주 반듯한 사각의 방

새벽의 자취방에서는 이따금
문이 제멋대로 닫히는 소리가 났다
화장실 창문을 열어놓으면
그새 밤바람이 불어와
부실한 나무문이 흔들렸다
일주일에 세 번 이상
그 소리를 들으며 밤을 새웠다

나도 연필 깎는 소리를 냈다
읽는 사람은 없는데
쓰려는 사람만 넘쳐났다
다들 똑같은 언어로 비슷한 문장을
왜 내 글은 읽지 않느냐고
불특정다수에게 따지기만 할 뿐
그럼 나는 왜 그 글을 읽지 않나
유치하고 별로라고 했지만
내 글이나 네 글이나 똑같았다

지우개로 지울 때 나는 소리가

누군가가 사부작 숨어버리거나

혹은 누군가의 울음소리로 들렸다

금수시대

미역국이 먹고 싶다고 했습니다 자신을 낳았을 때 어머니가 미역국도 못 드시고 돌아가셨다고 그럼 저의 어머니 그러니까 당신의 아내는 미역국을 먹었을까요 생각해보면 한 번도 밥상에 미역국이 올라온 적이 없었습니다 나는 미역국이라는 존재를 학교 급식에서야 할 게 되었죠 그건 절대 집안 형편상 비싸서 사먹지 못한 음식이 아닌데 왜 어머니는 미역국이나 하다못해 데친 생미역 같은 걸

곧 금수시대래요 그 시대가 오나봐요

금수면 짐승이 아닌가

금수보다 못한

편하게 잠들지 마요

친애하는 여름, 감기, 전단

일기예보와 다르게 비가 내려 예상보다 삶이 오래 지속되었다
보일러를 틀어놓고 마음의 가장자리로 가서 누웠다
오토바이가 지나갔고 누군가가 수시로 계단을 올랐다
응집된 관계에 내가 들어있는 공간만 홀로 버려져 있었지만
광고 전단지만큼은 내가 살아있음에 배제된 것이 아니라는 신호
를 주었다
그런 신호를 한 구석에 모아둔 적이 있었다

일층은 센서등이 고장나서 켜지지 않는 그런 빌라에 살았다
그 사이 배달음식, 신장개업한 가게, 마트 할인 전단지가 문 앞
에 널려 있었다
나를 전단지 취급했던 너에게 주기 위해 그것을 훔쳐들었다
할인 기간이 끝나고 개업한 가게에 손님이 시들해질 때쯤 전단
지를 버렸다

조금 있으면 더워지겠네, 라고 말하던 너는 비가 오는 날 죽었다
애인과 크게 다투어 어느 국도에 버려진 너는
핸드폰도 없는 채 무작정 걷다가 차에 치여 죽었다
축축하게 젖은 머리카락이 마를 때까지는 하루도 걸리지 않았다

겨울에 피는 민들레

겨울의 마른 아스팔트 틈 사이로 민들레 한 송이가 피었다
온기가 어디서 전해진 걸까?
해바라기가 햇빛을 쬐고 자란다면
민들레는 달빛을 받아 빛난다고 그랬다
민들레 꽃잎을 쓰다듬기 위해 자리에 쪼그려 앉았다
움직임 탓에 가방에서 무언가 덜컥거리는 소리가 났다
그 소리가 내 마음이 덜컥 떨어지는 소리인 줄 착각할 것 같아
차마 민들레를 만지지 못하고 다시 일어섰다

동네를 한바퀴 돌았다
담장 너머 온기가 부러워서 훔쳐 볼 수 있었고
이따금 유통기한 지난 봉지과자를 팔던 구멍가게도 들렀다
떠나지 못한 이들과 떠나지 않은 이들이 한데 모여
빛바랜 그림처럼 고정된 풍경을 살펴보다가
그대로 바닥에 굴렀다

어쩌면 구른 곳은 세상 그 자체일지도

가는 빗방울이 떨어졌다
그 비를 맞으면서 그냥 계속 걸었다
주변 중에 이곳이 가장 추운데 겨울만 되면 비가 내렸다

그러니까 아주 미지근한 빗물이

나는 그게, 닿을 수 있는 것들 중

가장 따뜻해서 그냥 가만히 맞고 있었다

최
유
빈

저에게는 유난히 추웠던 여름, 그 시기를 견디기 위해 시를 시작해 찬란한 가을에 첫 시집을 받아보았습니다. 거리의 색감은 점점 따뜻해지고 스치는 바람은 빠르게 차가워지는 걸 느끼면서 계속 시를 써내려갔습니다. 그리고 그 시는 이렇게 두 번째 시집이 되었습니다.

첫 시집은 저에게 그 추웠던 여름을 상기시키며 지금은 괜찮다고 이야기해주는 위로였습니다.
시가 선물해준 일상 속에서 저는 계절이 변화하듯 전보다 조금 더 아름다운 사람이 되었습니다. 이제 제가 소중하게 여기는 사람들, 일, 그리고 '나'를 위한 시를 쓸 수 있었습니다.

두 번째 시집은 따뜻했던 가을을 기억하며 다가올 겨울을 포근하게 맞이하라는 저에게 건네는 또 다른 선물입니다.

편지 두 통

같은 내용으로 시작해 결말이 다른 두 통의 편지를 썼습니다

슬픈 엔딩을 맞이하는 편지가 조금 더 쓰기 쉬웠습니다
하지만 행복한 엔딩을 맞이하고 싶어 한 통의 편지를 더 썼습니다

두 통을 모두 전해주고
당신이 간직하고 싶은 편지를 고르라고 할까요

슬픈 편지를 먼저 건네어 주었다가
사실은 내 마음은 이렇다며 행복한 편지를 건네주는게 좋을까요

아니면 내가 전하고 싶은 한 통의 편지만 건네어볼까요

두 통의 편지 모두 거짓이 없기에
조금 더 의지가 강한 편지에 우표가 붙여질텐데

'두 사람은 영원히 행복하게 살았습니다'
쓰라릴 여정을 애서 무시하며 아름다운 문장으로 마무리한
작은 동화같은 편지를 다시 한 번 읽어보고
봉투에 소중히 넣어봅니다

신도림역

사람들이 정신없이 쏟아져 나오는 것 같아도
서로 부딪치는 사람 하나 없고
파란색 문으로 나가면 거대하고 깔끔한 도시
초록색 문으로 나가면 낮고 조용한 동네
어딘지 모르게 정이 안 가는 동네입니다

초록색 길로 가야하는 나는
파란색 길로 가는 당신과 함께 가기 위해
그대와 같은 파란 열차에 올라타
굳이굳이 청록색 정거장, 신도림역까지 갑니다

첫 번째, 두 번째, 세 번째 문이 열릴 때는
열차 안 새하얀 조명에 눈이 부셔
당신의 눈동자에 담긴 내 모습을 바라보며
오늘 열차에 올라탈 때까지의 여정을 이야기합니다

네, 다서, 여섯 번째 문이 열릴 때면
창 밖에 보이는 원효대교로 시선을 돌려
밤이 되어 하늘로 출근하기 전
다리 위에 머물러있는 별빛들을 바라봅니다

일곱 번째 문이 열릴즈음엔
전광판에 띄어주는 다음역을 확인한 뒤
얼마 남지 않은 시간을 아쉬워하며
서로 다른 길로 떠나기 전 인사를 나눕니다

여덟 번째 문이 열리며
신도림역에 도착했습니다

같이 내리면 다시 올라타야 하는 당신
나만 내리면 빨리 헤어져야 하는 우리
매번 선택의 기로에 서지만
여덟 개의 파란 발자국을 찍으며 달려온 여정은
남은 발걸음도 선명하게 내딛을 수 있는 힘을 줍니다

내일도 함께 열차에 올라탑시다
열차에서 내려도 계속 걸어가야 하니까요

10월의 마지막 밤

같이 가자며 집에 가는 내 발목을 붙잡아
정류장에서 버스 몇 대를 보내게 만들더니
저녁을 먹자며 음식이 가장 빨리 나오는 집에 들어가
제일 맛있어 보이는 음식과 가장 좋아하는 음식을 시켜먹고는
시원한 바람이 뜨거운 낙엽을 괜히 살랑살랑 흔들어보는
덕수궁 앞 단풍길을 함께 걷더니
오늘따라 유난히 노랗고 똥그란 달빛 아래에 서서
최면에 걸린 듯 나를 멍하니 뚫어져라 바라보며
공사판에서 갓생긴 상처 채 낫지도 않은 그 따땃한 손으로
나의 뭉친 화장을 펴발라주던 그대

이 모든 것들이
불안해하지 말라는 의미었다는 걸
그대가 나즈막히
불안해하지 말라는 말을 건넬 때 알았습니다

그 마음을 전하려 그대가 보낸 시간을 시로 적자면
이 시의 첫 연보다 더욱 길어지겠지요
그 소중한 마음을 놓치지 않으려
오른손 주먹을 꽉 쥔 채로 집으로 향했습니다

집에 돌아와 침대에 누워

창가에 비추는 가로등 불빛에 어렵게 눈을 감는 그 순간까지도

성냥팔이 소녀가 된 것 마냥 그 따뜻한 시간들이 아른거립니다

그대에게 더욱 물든 가을

10월의 마지막 밤이었습니다

꽃시

믿을 수 없겠지만
당신은 나의 리시안셔스

그대 덕분에 행복을 찾았어요
그대도 분명 은방울꽃

함께해줘서 고마워요
내가 그대를 델피니움

말로 전할 수 없어
꽃을 건넵니다

일터의 하늘

나의 일터는
사람들이 놀러오는 동네에 있다
알록달록 화려한 웃음 가득한 거리
그 무리 속에서 색을 띄지 못하는 나는
그저 앞만 보며
남들보다 빠른 걸음으로 나아갈 뿐이다

가야할 길을 보며 앞으로
손 위에 작은 화면을 보며 앞으로
그러다 아주 잠시,
고요한 순간이 찾아오면
그제서야 고개를 들어 하늘을 바라본다

나의 일터는
낮은 건물들이 마을을 이룬 동네에 있다
아파트가 즐비한 동네에 사는 나는
이 곳의 광활한 하늘을 바라보며
남들보다 무거운 모래주머니를 하나씩 풀어본다

고개를 바로 잡아
다음 목적지로 향하는 길이 보이면

눈에 담았던 하늘을 기억하며

가벼워진 주머니를 손에 쥔 채 구름 밟고 나아간다

우울증이라고 부르는 듯 하다

슬픔이 새어나갈 틈 없이
귓가를 흥겨운 노랫소리로 꽈악 막았는데
차가운 가을바람 스치는 얼굴 위로 눈물이 차오른다

떨어지는 해를 따라 사람들 시선이 머무는 곳
노을 진 언덕, 황금빛 낙엽이 잔뜩 뒤덮고 있음에도
함께 즐기지 못하는 얼굴 위로 눈물이 차오른다

도로 위 화려한 소음에서 벗어나고 싶어
다리 밑 고요한 개천을 따라 유유히 걷고 있지만
밤하늘의 따스한 달빛보다 흐르는 윤슬에 시선을 빼앗긴다

창문으로 바라보는 하늘이
혼자서 색을 두 어번 은근히 바꾸는 동안
어두워지는 방 안에서 선명해지는 별빛을 바라본다

사람들은 이걸,

낯선 내 사진

일할 때 찍힌 사진 속 내 모습이 낯설다

오늘도 여느 때와 같이
많은 사람들 앞에 서서
다양한 눈동자를 마주하며
거대한 소음을 뚫는 낭랑한 목소리로 이야기 한다

때로는 여느 때보다
많은 사람들 앞에 서서
다양한 사연의 귀를 귀울이며
마음의 벽을 넘는 다정한 목소리로 이야기 한다

일을 마치고
메고 있던 무거운 가방을 내려놓고
가벼워진 어깨를 들썩이며 거울을 바라보다
프로필 사진을 찍으러 스튜디오에 갔다

담고 싶은 모습을 묻는 포토그래퍼의 질문에
차분한 모습이라고 대답했다
자연스럽게 미소짓는 모습이라고 적었다

이유를 묻는 포토그래퍼의 질문에
편안한 모습이라고 대답했다
미소짓는 모습이 낯설다고 덧붙였다

검은 천으로 뒤덮힌 스튜디오
하얀 조명 아래
발이 땅에 닿지 않는 의자에 걸터 앉아
포토그래퍼의 손짓에 따라 고개를 움직이며
웃지 않아도 되는 사진을 찍는다

렌즈에 비친 내 모습에 미소가 지어진다

가을은 아직, 덕수궁

거니는 거리, 나무마다 낙엽이 물들기 시작하기에
가을에 더 아름다운 덕수궁에 갔습니다

항상 화가 나있는 시위대 소리
무채색 눈빛 경찰들의 발걸음 소리
더 큰소리로 시작을 알리는 수문장 교대식
그곳을 지나 금천교를 건너면
바다 속을 거니는 듯 순식간에 조용해지는 거리
고즈넉한 풍경의
덕수궁입니다

누리꾸리한 냄새의 은행을 피해다니며
새빨간 단풍에 취하고 싶어 왔는데
이곳은 아직 가을에 덜 취했는지
나무들이 아직 볼을 붉히지 않습니다

아직 잔을 비우지 못한 나무들을 뒤로한 채
황제의 이루지 못한 소망을 기억하는
화려한 황금빛 단청을 바라보다가

다리를 다시 건너와

시끄러운 물 위로 돌아왔습니다

킨츠기(金継ぎ)

깨진 사케 잔을 들고
공방에 갔다
다시 봄이 오길 바라며
도자기로 빚었던 잔

두 조각의 위치를 맞춰보고
상처 난 부위에 가능한 얇고 평평하게 빨간약을 바른다

두 조각을 맞물릴 때는 한 번에 탁!
헤어질 때 위치 그대로 조각을 잘 맞추어야 한다
두 조각을 서로 비비며 맞춰가다보면
더욱 망가진 조각이 되어 맞출 수 없게 된다

이제 기다린다
약이 마를 때까지

빨간약 위에 색을 입힌다
금색과 은색 중 고를 수 있다
금도끼은도끼에서는 나무도끼를 선택하면
금도끼와 은도끼를 모두 얻었지만
깨진 잔을 수리하는데에는

가장 빛나고 아름다운 금색을 골라준다

황금빛 가루를 빨간약 위에 뿌려주고
다친 상처를 어루만져주듯
가느다란 붓으로 금가루를 털어준다

이제 기다린다
금가루가 잘 붙을 때까지

해가 뜨면 차가운 물로
붙지 않아도 되는 금가루들을 닦아내면
더 이상 상처는 흉(凶)이 아닌 미(美)가 된다

이제 새로운 술을 따를 수 있게 되었다

첫 시집

시집이 나왔습니다
제 이름이 적혀있습니다

연필을 처음 잡은 아이가
그림같은 글자로
더디고 서툴게 풀어낸 학습지
선생님께 제출한 것처럼

남몰래 찔끔거렸던 찌질한 추억
창문 열고 소리치는 대신
입꾹 다물고 적어낸 일기장
눈물자욱과 함께 들켜버린 것처럼

후회되기도
부끄럽기도
그래도

제 시집이 나왔습니다

더운 가을에 적은 시는
정답을 많이 맞춘 시험지도

아직은
기분좋게 말할 수 있는 일기도 아니지만

낡은 책 한 권을 마냥 붙들고 있던 아이는
이제야 책의 마지막 페이지를 덮고
다음 책의 첫 장을 넘깁니다

고맙습니다
저에게 시를 알려준 그대
제 시가 되어준 그대
도망치고 싶었던 숱한 시간을 지나
이제 이 시집을 받아볼 수 있게 된 그대

그대에게 건넬 수 있는
저의 첫 시집이 나왔습니다

황
수
비

50, 이지만 하루가 새롭고, 두렵고, 불안하기만 합니다. 늘 바둥 바둥 거리고, 종종거리면서 살고 있지요.

내가 아닌 가족들을 위한 삶이 다인 저이지만, 어느날 저를 들여 다보고, 저를 위해서 생각할 수 있는 시간인 시를 쓰게 되었습니 다. 그냥 있는 그대로의 저를 담았습니다. 거창하게 꾸미지도 않고, 화려하지도 않습니다. 시를 쓰면서 제 마음을 처음으로 들여다 보 는 작업이었습니다.

저와 같이 자신을 들여다 볼 새가 없는 분들에게 조금이나마 마 음을 토닥거려주는 위로가 되기를 희망해 봅니다.

걸어야지

하루,
또 하루
매일같이 줄 타는 광대마냥 아슬아슬 하다.

죽고 싶은 고통 속에
몸부림치다가도 간신히 두 손으로
심장을 움켜잡는다.

간사하고 간사한
마음속 한켠의 깊은 욕심이 고개를 치켜들어
그래도 살아야지 한다.

걸어야겠다는 생각이 들었다.

걸었다.
걷기 시작했다.
한걸음
두걸음

보도블럭이 울퉁불퉁
아스팔트 길이 움푹 패이고,

흙길의 뛰어나온 돌멩이들
엎어지고, 온몸이 까이고, 피가 철철나도
걸었다.

하루
또 하루를
아주 으스러지게 밟아나가면서
걷고 또 걸었다.

허기진 위

밥을 먹는다.
김치를 먹는다.
고기를 먹고, 생선을 먹고,
달걀 후라이를 먹는다.
먹어도, 먹어도 배가 부르지 않다.
이상한 허기짐
절벽에 발끝을 세우고 있는 걸
보았던 걸까?
쓰다.
너무 써서 뱉어버리고 싶다.

몸 속 깊은 곳에서
고함소리가 들려온다
정신차리고
씹어! 씹어!
계속 씹으란 말이야!
계속 씹으면 단맛이 나!
그러니 제발 씹어!

정신줄 붙잡고
미친 듯이 씹어돌린다.

살아야지!

반드시 살아야지!

관계

친청엄마, 시엄마, 여동생들, 시아주버님, 시누이, 남편, 아들
사랑하는 가족?
물음표를 던져본다.
인생의 반을 살아가고 있지만
그들은 늘 요구한다.
희생, 당연한 의무

언제부터인가
웃지 않는 내 모습
명치끝에 돌덩어리가 들어앉아
고통스럽다.

간사한 마음

코너에 몰려있다.
발끝을 잘못 딛으면 끝이다.
살고 싶어서 신을 찾는다.
살려주세요! 제발 살려주세요!
한 번만 살 수 있는 기회를 주십시요!
제발 불쌍히 여겨서 한번만 딱 한번만 기회를 주십시요!
그러다가 소원을 들어주지 않는 신을 한없이 원망한다.
가버리세요!
너무하시군요! 간절하게 애원하고 애원했습니다.
한 번 쯤은! 그렇게 기회를 달라고 애원했습니다.
왜! 왜! 저를 버리십니까?
원망하고 원망합니다.
하고 울부짖다가
거울에 비친 마음을 본다.
소름끼치게 역겨운 간사함이
몸과 마음을 있는 힘껏 비틀어대고 있다.

물류창고

저녁 5시 30분
커다란 지하세계가 육지 위로 올라와 있는 곳
그 곳에서
부지런히
살기 위해 부지런히
움직인다.

카트를 끌고
기계의 좌표가 있는 곳으로 가서
비어있는 물건들을
채워넣는다.
왼쪽,
오른쪽,
앞,
뒤,

다시 시작하는 삶을 꿈꾸며
부지런히 채운다.
가족과 함께 살 작은집을,
아들의 꿈을 위한 노력이 헛되지 않기를,
남편이 돈을 벌어 기를 펼수 있기를

서로가 서로의 손을 절대 놓지 않기를

어느덧 새벽 4시
차가운 공기 사이로
어깨와 가슴을 펼쳐본다.
숨을 들이쉬고, 크게 내 쉬어 본다.

호국원

반듯하게 정돈되어 있는
반듯하게 세워진 비석
반듯하게 깍인 잔디위에서
평생을 헌신한 영혼의 그림자들 위에
평온함을 찾고 싶은 자석처럼 끌리는 이 마음은
아버지가 보고 싶어서 그런 걸까?
일에 있어서는 늘 반듯했던
아버지가 보고 싶은 거겠지?
아버지는 좋겠다.
반듯한 친구분들이 많아서
반듯하게 대화할수 있어서
그곳에서도
반듯하게 살아갈 수 있어서

화 병!!!

일어날 수가 없다.
숨을 쉴 수가 없다.
가위에 눌리듯
검은 불덩어리가 몸을 헤집고 들어와 버렸다.
악!악!악!
살려줘! 제발 살려줘! 미친 듯이 소리치는데
검은 불덩어리는
소름끼치게 냉소적인 얼굴로 비웃고,
어떠한 한 줄기 희망도 주지 않겠다는 듯
확 타올라
공중 폭발을 일으키려 한다.

나

오랫동안 너를 보았다.

넌 너무 선하다.
넌 거절을 못한다.
넌 네 이야기는 하지 않는다.
넌 타인의 이야기는 같이 울고 웃는다.
넌 너를 먼저 생각하지 않는다.

가끔
혼자서
울고 있는 네 모습을
훔쳐본다.
심장을 움켜잡고
나 또한
소리없이 운다.

길고 긴 시간의 터널을 지난
어느날,
웃음이 사라지고
그늘이 드리워진
널 보고

뼈아프게 후회했다.

진심을 다해

널 사랑하지 못했다는 걸

돈

너는 요물이다.

너무 보고 싶을 때,

너무 필요할 때,

찾으면 막상 넌 없다.

그런 난 속이 상하고 무기력해진다.

보고싶지 않을 때에는,

필요로 하지 않는다고 소리쳐도

옆에 나타나서

실컷 보고,

실컷 만지고,

선심쓰듯

하고 싶은 거 다 하라고 웃어준다.

야속한데,

미워죽겠는데,

너를 끊어내지 못한다.

미련없이 버리지를 못한다.

내 속을

까보면
너 때문에
타 들어간 속으로
꺼먼돌이
들어앉아 있는 걸 알고 있는지.....

너는
999년을 산
구미호보다
요물이다.
버리지 못하는
지독한
애증.

어머니

어린날,
일기쓰기를 미뤄서,
공부를 기대만큼 못 미쳐서,
늘 혼이 났다.

머리가 커서는
여전히 공부가 안되니,
여전히 혼이 났지만, 그렇다고 무섭지는 않았다.

꿈으로 가득했던
사회생활의 시작은
고군분투에도
온몸이 피투성이가 되는
쓴 맛을 봐야했다.

마음을 덮혀줄
이불이 필요했지만,
어머니는 절대로 내편을 들지 않았다.
절벽에서 떨어져 다시는 올라올 수 없는 밑바닥까지 쳐박혔음에
도
어떠한 따뜻한 말도 해주지 않았다.

언제부터였는지 기억나지 않지만,

어머니 앞에서는 아무말도 하지 않게 되었다.

그냥 입을, 입술을 달싹거리면서 움직이는 것 조차 너무 힘들었
다.

어머니를 만나는 건

고통이다.

그녀의 입에서 나오는 말들이

뭐가 될지는 모르나,

무섭고, 두려울 뿐이다.

언제쯤

도대체 언제쯤

어머니를 편안하게 마주할 수 있는 날이

올 수 있을까?

어른......알고보면 나도 두려워.

50,이라는 나이가 무색하게
아침에 눈을 뜨면
하루의 시작이 두렵고, 온몸을 긴장이라는 압박테이프로 칭칭감
고,
어떤 일이 생길까?
오늘은 무사히 지나갈수 있을까?
별일 없겠지?
하면서 온갖 걱정들을 머리에 이고,
늘 만성피로를 달고,

회사에서
"50"은 모범을 보여야 하고,
후배들을 감싸줘야 하며,
후배들을 위한 열린 귀를 가지고 있어야 하며,
일과중에는
흐트러진 모습을 보이고 싶지 않아
늘 두려움에 떨고 있지요.

내 마음을 알까요.
남들이 말하는 인생의 반을 살았다지만,
매일매일이 똑같이 두렵다는 것을,

똑같이 힘겹다는 것을,
똑같이 긴장하고 산다는 걸.

저녁이 되면
하! 오늘도 무난하게 보냈구나 하고 안도의 한숨을 내뱉지만,
이내 또 아직 오지 않은
내일을 두려워하다가 잠이 들어요.